KB009755

생
명
역
동
농
법
이란   무
엇
인
가
?

생명역동농법이란 무엇인가?

니콜라이 푹스 지음

장은심 옮김

1984

차례

들어가는 말

"유기 농법에 대해서는 알고 있는데, 생명역동농법이란 정확히 무엇인가요?"

"농법의 하나로, 루돌프 슈타이너*가 창안한 것입니다."

"언제, 어디서 시작된 건가요?"

"1924년 브레슬라우의 코베르비츠 성에서 입니다. 전에는 독일의 슐레지엔이었는데, 지금은 폴란드에 속해 있습니다."

"그럼 요즘에는 누가 그 농법으로 농사를 짓나요?"

"데메터** 농장의 농부들은 모두 생명역동농법으로 농사를 짓습니다."

<hr>

*   Rudolf Steiner_ 이 책 71~72쪽 참조
**   Demeter_ 이 책 54쪽 참조

이 소책자에서는 생명역동농법에 대한 이러한 개인적인 관심에 대해 생명역동농법의 기본적인 발상이 무엇인지를 가능한 한 짧게 그리고 되도록 많은 사람이 이해할 수 있게 설명해 보았습니다. 특별한 전문 지식, 예를 들어 농지를 위해 무엇을 사용해야 하고 사용하지 말아야 할지를 알고자 하거나, 달팽이를 언제(보름달이나 초승달이 뜰 때) 퇴치해야 하는지에 대해 관심 있는 분들은 관련 전문 서적을 찾아 볼 수 있게 참고 도서 목록을 맨 뒤에 실었습니다.

니콜라이 푹스

생명역동농법이란?

한마디로 생명력의 쇠퇴를 막기 위한 일. 사실 이 말 안에 모든 것이 담겨 있다고 할 수 있습니다. 만약 당신이 이 말이 무슨 뜻인지 이해했다면, 자 이제 데메터 커피와 거기에 어울리는 쿠키를 즐기면서, 생명역동농법에 대해 알아보기 위해 출발하기로 하겠습니다!

생명역동농법이란 농업의 퇴행을 막기 위한 하나의 방법입니다. 이해를 돕기 위해 그 역사에서 시작하겠습니다.

생명역동농법의 역사

제1차 세계 대전이 끝나고 5년이 지난 1923년, 루돌프 슈타이너는 점점 급박해지는 농부들의 요구에 도움을 주고자 강의를 열었습니다.

그 당시 농사를 짓는 데 영향을 준, 비중 있는 두 가지 계기가 있었습니다. 전쟁 시에 보통 그렇듯이 작물 경작에 있어서 재배 과정보다는 생산량에 더 큰 목표와 가치를 두었다는 것입니다. 씨앗 역시 좋은 상태가 아니었습니다. 거기에 '전쟁은 많은 것을 발명하게 한다'는 목표에 따라 무기를 생산하던 하버-보쉬사가 무기 생산에 필요한 인공 질소를 만들어 냈습니다.

전쟁 전에는 남아메리카 캅 호른 주위를 항해하는 큰 범선들이 수백 년 동안 칠레의 태평양 해변에 물새들이 쌓아 놓은 분뇨 더미인 구아노(분화석 또는 분뇨석)를 갈아서 농사에 비료로 사용하려고 유럽으로 실어 왔습니다. 전쟁 후 무기 회사들은 인공 질소를 무기 생산을 위해 더 이상 쓰지 못하게 되자, 새로운 시장을 농업에서 찾았습니다. 화학자 유스트스 폰 리비히Justus von Liebig의 이론에 따라 질소 비료를 농사에 사용했고, 인과 칼리염은 식물에 영양제로 주었습니다.

그 결과 씨앗의 품종에 좋지 않은 영향이 있었습니다. 너무 많은 영양제는 무언가 조화를 이루지 못해 식물이 건강하게 자란다는 인상을 주지 않았습니다.

이것이 농부들이 걱정하게 된 외적인 상황이었습니다. 더구나 인공적인 보조 비료를 사용한 이후에, 전체적으로 자연이 시들어간다는 것을 느낄 수 있었습니다. 농부들은 농산물의 품질이 저하되는 것이 걱정되고 불안하였고, 루돌프 슈타이너도 강의에서, 감자 맛이 자신이 어릴 적 먹었던 것과 확연히 다르다고 동의했습니다.

이렇게 전체적으로 쇠퇴하는 분위기와 상황을 크게 걱정한 농부들은 이미 의학 분야(현재 인지 의학으로 알려진)에서 새로운 연구를 하고, 교육 분야(발도르프 교육학)에도 새로운 방향을 제시한 루돌프 슈타이너에게 농업에도 새로운 방향을 제시해 줄 것을 원했습니다. 슈타이너는 그 당시 건강이 악화된 상태여서 농부들의 요구에 대해 조금 망설이다 응하였습니다. 슈타이너는 그로부터 9개월 후 1925년 3월에 생을 달리했습니다.

농부들을 위한 여덟 번의 강의는 1924년 오순절(6월 7일~16일)에 코베르비츠에서 열렸습니다.

코베르비츠는 대규모의 설탕 농장인 '라트 쉴러와 스켄네'의 토지 관리소가 있는 곳이었습니다. 슈타이너는 1920년부터 이곳의 주인이자 관리 운영자인 카이제링크 Keyserlingk 백작과 스켄네 출신인 그의 부인 요한나와 오래전부터 친분이 있었습니다. 7,500ha나 되는 토지에는 18개의 농장이 있었는데 −1ha는 100m×100m, 즉 10,000㎡− 그 당시에는 여전히 말을 이용해야 했기 때문에 상당히 큰 규모였습니다. 비교하자면, 오늘날 스위스의 평균적인 공장의 크기는 여러 해 동안 구조가 변하여 겨우 20ha에 불과합니다!

이 농장에서 열린 슈타이너의 농법 강의에는 130명의 청중이 참석했고, 그중 절반은 농민이었습니다. 같은 기간에 브레슬라우에서 여러 다른 강의와 오이리트미 공

연이 있었습니다. 청중들은 이 농법 강의를
듣기 위해 매일 브레슬라우에서 코베르비
츠로 이동해야 했습니다.

루돌프 슈타이너 농법 강의의 지향점

농업의 쇠퇴를 막기 위한 루돌프 슈타이너의 기본 생각은 농지를 우주의 힘과 새롭게 연결해야 한다는 것이었습니다. 다시 말해, 우주의 힘이 땅에 새로운 기운을 주어 생생한 생명력으로 미칠 수 있도록 해야 한다는 것입니다. 어떻게 그것이 가능할까요?

이 질문을 다르게 표현해 본다면, 우주의 힘은 항상 땅에 영향을 주고 있지 않은가요?

땅이 시든 상태(복켄뷜과 예르빈넨의 표현)라

면, 땅은 우주의 힘을 받아들일 수 있는 상태가 아닙니다. 우주의 힘을 받아들일 수 있도록 새로운 문을 어떻게 열 것인가를 찾아야 합니다.

루돌프 슈타이너는 근본적으로 혼돈의 순간과 개별화라는 두 가지 방법을 제시했습니다.

혼돈의 순간

우리는 인생에서 위기를 겪으면서 알게 되는 것이 있습니다. 위기를 통해 새로움이 우리 인생에 들어온다는 것입니다. 위기를 맞고 상황이 좋지 않아져서 힘들어질 때 친구에게서, 의사에게서 또는 치료사에게서 충고를 듣습니다. 위기가 지난 후에 우리는 보통 전과 다른 길을 가게 됩니다. 혼돈은 마치 이런 위기처럼 생깁니다. 물론 모든 혼돈이 그렇다는 것은 아닙니다. 그러나 예를 들어 씨앗의 혼돈은 그러합니다. 씨앗이 휴식 상태에서 벗어나 물과 온기와 빛을 생명의 동력으로 새롭게 받아, 싹이 트기 시작하면, 바로 그 순간이 혼돈의 순간입니다. 영양분이 저장되는 조직은 부드러운 씨앗을 위해 배양소로 바뀝니다. 또 땅도 활동을 시작하면, 그 상태가 혼란스럽습니다. 그리고 농부는 생명역동농법 증폭제를 저을 때, 한 시간 동안 왼쪽과 오른쪽을 번갈아가며 1분씩 힘차게 저어서 혼돈 상태를 만들어 냅니다.

이것은 열린 순간을 만들어 내기 위함입니다. 루돌프 슈타이너는 이것을 농사에 잘 사용하기를 권했습니다. 특정한 별의 상태에 따라 정확한 순간을 목표로 하여 혼돈의 상태를 만들어 내고, 그 상태의 힘이 땅에 영향을 미치도록 기준을 잡아야 합니다. 이런 의식적인 상호 작용—특정한 별의 상태와 작업의 혼돈 상태가 만나 땅에 우주의 힘이 연결되도록 하는—을 해야 하고, 이것을 농사에 이용한다는 것이 한 방법입니다.

다른 방법은 바로 개별화입니다.

농업의 개별화

개별성이란 사실 사람에게만 쓰는 용어입니다. 개별성이란 원래부터 연결된 '나'와 분리할 수 없는 우리 자신, 또는 다른 말로 우리의 자아입니다. 개별성이란 또 발전과 연결되어 있습니다. 우리가 더 발전할 수 없다면, 우리는 우리의 정체성과 특성을 잃어

버립니다.

루돌프 슈타이너는 이런 관점으로 자연을 가꾸는 일, 즉 농업을 바라보았습니다. 농법 강의의 두 번째 강의에서 세 번째로 언급한 "농사를 짓고 가축을 키우는 하나의 단위 농장들은 농장마다 나름대로 고유한 성질을 갖추고 있는 독립된 개체가 될 수 있어야 충분히 제 가치를 지닐 수 있습니다."는 아주 중요한 지점입니다. "이제 본질적으로 살펴본다면 농업은 마치 개별성으로, 그 자체로 완결되는 개별화입니다." 슈타이너의 농법 강의는 이 주제 안에서 진행되었습니다. 동시에 이 주제를 통해 자유와 인지학을 배울 수 있습니다.

슈타이너는 "농업은 개별적입니다"라고 하지 않고, 농업의 본질 자체가 인지학, 정신과학적 요소이며, 농업을 일종의 개별성으로 바라볼 때, 즉 자신이 농업을 어떻게 받아들이고 이해하려고 하는지가 중요하다고 말했습니다. 오늘날에는 농업을 마치 산업이나 생물 원자재로 이해하고 있습니다. 농업의 과정이나 식물을 어떻게 바라보는가에 따라 그 반응은 다를 것이고, 이것은 또한 오래된 삶의 법칙입니다. 슈타이너는 네 번째 강의에서 이 점을 구체적으로 말했습니다. "정신과학은 농업뿐만 아니라 모든 방면에서 인간으로부터 출발했고, 인간을 밑바탕으로 삼았습니다. 이런 까닭으로 정신과학을 통해 나온 방법으로 농사를 지으면 인간에게 가장 유익한 양식을 줄 수 있습니다. 이 점이 현대 과학과 다른 점입니다." 사람의 기관을 잘 알고 농업을 살피면, 그저 단순한 자연이나 산업이 아닌 전혀 다른 측면을 관찰할 수 있습니다.

농법 강의에서 슈타이너는 인간의 눈을 통해 농업을 바라보자고 말합니다. 예를 들면 농업의 개별화를 거꾸로 선 사람으로 바라보았습니다. 사람에게 고요함을 간직하는 신경, 감각 부분이 머리에 있는 것처럼 농업에서는 광물이 있는 부분, 즉 움직이지 않는 땅이 사람의 머리에 해당합니다. 이어서 농업의 개별화를 사람의 배 속의 신진대사 부분에 비유합니다.

이 비유가 처음에는 아주 황당하게 들립니다. 그러나 주의해서 잘 들여다보면 중점적인 신진대사 과정이 땅 위에서 일어나고 있다는 것을 알 수 있습니다. 영양면에서 뿌리 열매와 미네랄은 머리에 영향을 줍니다.(노르트라인 베스트팔렌주에서는 옛날에 1학년 아

이들이 학교에 다닐 때 무를 자주 먹었다고 합니다) 잎
사귀는 가슴 리듬 영역(심장, 폐)에, 꽃(캐모마
일 차는 복통에!)과 열매는 신진대사 영역에 영
향을 줍니다.

슈타이너는 자연을 인간의 성장, 발달
과 연관하여 보았는데, 자연의 최상의 발달
목표는 외부로 보여 주는 모습에서 드러난
다고 했습니다. 이러한 시각은 자연에 대한
관찰과 관계를 성장시켜 주며, 자연은 항상
발달 과정에 있다는 것을 알게 해 줍니다.

농업이 포괄적으로 개별화되면 그 자체
로 농장은 조화롭게 됩니다. 인공적인 비료
나 사료를 쓰지 않고, 남아메리카의 콩을
큰 단위로 수입하지 않아도 되고, 농장을
운영하는 모든 조직이 강하게 서로 연결됩
니다. 이렇게 되면 농장에서는 먹이를 생산

할 수 있는 만큼만 가축을 키우며, 그에 따라 가축이 배설하는 만큼 퇴비가 나올 것입니다. 이러한 순환으로 과잉 거름이 자연적으로 조절될 것이며 오늘날의 큰 환경 문제인 수질—지하수, 지표수, 바닷물이 과잉 사료들의 재료로 오염되지 않을 것입니다.

이렇게 농장 자체가 전체적으로 일치된 개별성으로 운영된다면, 이로써 조화롭고 섬세한 작용들이 농장 내에서 활발해질 것입니다.

예를 들어 농장의 소는 농장의 경영을 통해 그해 일구어진 경작지의 수확물을 먹이로 취합니다. 소는 먹이를 반추하며 씹는 동안 '생각하고', 거의 꿈꾸듯 '맛을 보고', 소의 유기체에 맞는 특성대로 균형을 잡아 갑니다.

더 나아가 소는 사람과 달리 먹이에서

모든 영양분을 섭취하지 않기 때문에 소똥에는 자아의 원기가 남아서 초지의 거름이 되며, 소가 다시 이 거름으로 자란 식물을 먹게 됩니다.

개별화되어가는 농장의 발전 과정을 비유적으로 표현하면, 나선형 모양으로 계속 상승하며 발전하는 형태를 이룹니다. 그리고 이러한 발전 형태는 순환 농업을 능가할 가능성을 보여 줍니다.

생명역동농법은 보통 비료로 쓸 재료를 주위 환경에서 얻습니다. 공기에서 콩과 식물(두류)의 도움으로 질소를 얻고, 미네랄은 식물 뿌리의 활발한 미네랄 활동에서 얻습니다. 사람은 살아가는 동안 삶의 경험을 모으고 생각하면서, 마음은 커지고 생각은 밝아집니다. 즉, 지혜로워집니다.

농업도 이와 마찬가지로 생각해 볼 수

있습니다. 마치 식물이 꽃을 피우기 전 자신의 구조를 섬세하고 세밀하게 하여 점점 구조화되고 가벼워지듯이 농장을 폭넓게 계속 발전시키면, 농장도 점점 섬세해지고 구조화됩니다. 연구 결과에 의하면, 생명역동농업으로 생긴 인은 땅을 활발하게 만들어 식물이 우주의 기운을 잘 받아들일 수 있도록 합니다.

지혜로운 사람이 점점 정신세계와 가까워지듯이, 생명역동 농장도 노련해집니다. 이러한 생명역동 농장은 밖에서 들어오는 거칠고 소화하기 어렵고 또 힘을 빼앗아 가는 물질과 대항하지 않아도 됩니다. 우주의 영향에 대해 열려 있기 때문입니다.

혼돈의 순간과 개별화는 땅이 우주의 에너지를 새롭게 받을 수 있는 도구입니다.

인간의 발달

혼돈과 개별화와 더불어 세 번째 요소가 있습니다. 그것은 인간 자신의 발달입니다. 생명역동농법은 단지 외부에서만 일어나는 것이 아니라, 그 농법을 하는 사람과도 아주 밀접한 관계를 맺습니다. 농장이 발전해야 하는 것처럼 농사에 종사하는 사람도 발전해야 합니다. 마치 좋은 선생님이 학생의 입장이 될 수 있듯이, 좋은 의사가 환자의 아픈 곳을 느끼듯이 생명역동농법을 하는 좋은 농부는 자연과 삶의 관계에 대해 예민한 감지 능력을 키워야 합니다. 사람들은 보통 섬세한 정신적 영역에 발을 들여놓으면, 처음에는 자신의 습관과 한계 때문에 종종 의심이라는 길에 빠져듭니다. 아마도 생명역동농법을 실천하는 사람이라면 이런 질문이 생길 것입니다. 정말로 생명역동농법이 가능할까? 우주의 힘이 함께 하는 정신세계가 있는 걸까? 이러한 의심이 더 커져서 아예 생명역동농법을 거부하거나 증오로 변하기도 합니다. 이런 상태에서는 참고 버텨야 합니다, 그렇지 않고서는 앞으로 나아갈 수가 없습니다.

괴테아눔*에 들어가면 서쪽의 붉은 창문 그림의 왼편에 내면의 동물이 그려져 있습니다. 두려움, 증오 그리고 의심을 상징합니다. 이것은 우리 영혼에 큰 부분을 차지합니다. 창문 가운데에 커다란 사람이 있고 그 주변에 동물 넷이 있습니다. 네 명의 사도입니다. 연꽃으로 표시한 차크라는, 특히 16개 연꽃잎이 후두 주변을 감싸면서 자연의 법칙을 감지할 수 있는 정신적 기관

<hr />

* Goetheanum_ 스위스 도르나흐 소재. 인지학 본부이며, 정신과학 대학이 있다.

을 나타내고 있습니다. 그리고 둥근 천장의 서쪽 창문에는 16개의 장미가 그려져 있습니다. 우리는 그리스도의 본질을 통해, 그리고 명상을 통해 차크라, 연꽃의 변환을 경험할 수 있고, 우리 안에 있는 동물을 좀 더 나은 방향으로 변하게 할 수 있습니다. 오른쪽 창문에는 우리의 영혼이 천사들의 인도를 받아 앞으로 나아갈 때 우리 안의 동물들이 작아지는 것을 표현하는 그림이 있습니다.

우주적인 것이 꼭 땅으로 내려오는 것만이 아니라, 알다시피 우리가 원하면 땅의 것이 우주를 담아 낼 수 있습니다. 루돌프 슈타이너는 이러한 움직임이 인지학적 농업을 통해 가능하다고 했습니다.

생명역동농법의 구체적인 기준

우주의 힘이 땅에 작용하게 하려면 어떤 특별한 조치를 해야 할까?

파종 시기

우주의 힘이 땅을 풍성하게 하기 위한 첫 번째 방법은 파종 시기를 잘 선택하는 것입니다. 여기에는 마치 예술처럼 혼돈의 순간이 올바른 시기에 생길 수 있게 이른바 '파종 달력'의 도움을 받으면 좋습니다. 뿌리채소를 파종하기 가장 적당한 날은 보름달이 뜨기 3일 전입니다.

물론 식물과 관련하여 우주의 관계성에 대한 그림을 자신이 스스로 관찰하여 가질 수 있는 것이 가장 중요합니다. 그렇지 않으면 농업은 어느 한 처방에 얽매이게 됩니다. 자립적으로 하늘의 별들을 공부하고 싶은 분들을 위해, 별들의 움직임을 구체적으로 잘 이해할 수 있게 만든 달력이 따로 있습니다.

생명역동농법 증폭제

루돌프 슈타이너는 농업을 위해 아주 특별한 거름인 증폭제를 만들어 냈습니다. 이 또한 우주의 힘이 땅과 연결되게 하려고 고안한 것입니다. 증폭제를 일반적으로 설명하자면 다음과 같은 규칙이 있습니다. 어떤 자연적인 것을 동물의 뿔이나 특정한 기관에 집어넣습니다. 그리고 땅속에 파묻습니다. 1년 정도 지난 후 일정 과정을 거쳐 개별화를 돕기 위해 사용합니다.

증폭제는 크게 퇴비용 증폭제와 살포용 증폭제, 두 종류로 나눌 수 있습니다.

퇴비용 증폭제는 다음과 같이 이해할 수 있습니다. 간단하게 말하면, 식물의 한 부분, 주로 꽃을 동물의 기관에 넣습니다. 예를 들어 톱풀 꽃을 수사슴의 방광에 집어넣습니다. 이렇게 준비된 사슴의 방광을 여름 내내 공기 중에 매달았다가 겨울에 땅에 묻습니다. 그리고 다음해 봄에 꺼내어 아주 적은 양(두 손가락 끝으로 잡을 수 있을 정도)만 사용합니다. 이렇게 준비된 톱풀 증폭제를 비롯한 다른 증폭제를 퇴비 더미에 1.5m정도 간격으로 넣어 줍니다. 그곳에서 이 재료가 힘을 발휘하게 됩니다. 쐐기풀 증폭제의 영향력은 '이성이 충분히 발휘되는 것'이라고 루돌프 슈타이너는 표현했습니다. 이것 역시 사람과 연관한 표현입니다. 퇴비용 증폭제로 쓰는 식물은 모두 합해 다섯 가지가 있습니다. 톱풀, 캐모마일, 쐐기풀, 참나무껍질, 민들레입니다. 살포하는 방법으로 사용하는 쥐오줌풀(이것은 좀 다르게 만들어집니다)과 쇠뜨기 역시 좀 다르지만 중요한 역할을 합니다.

살포용 증폭제 중 소똥 증폭제는 우선 암소똥을 암소의 뿔에 담아서, 땅속에서 겨울을 나고, 이듬해 봄에 꺼내 정해진 양을 물이 들어 있는 통에 담고 한 시간 동안 리듬 있게 저은 다음 밭에 뿌립니다. 수정 증폭제는 수정이나 규석을 가능한 한 곱게

갈아야 합니다. 그런 다음 이 가루를 소의 뿔에 담아 여름 동안 땅에 묻었다가 가을에 캐내어 필요에 따라서 골무 크기 정도의 양을 물에 넣어 리듬 있게 저은 다음, 보통은 어린 식물에 뿌립니다.

생명역동농법 증폭제는 특정한 형태의 식물과 특정한 동물의 조직을 함께 연결하여 결합하였을 때 특별한 힘이 생긴다는 생각에 기초하고 있습니다. 예를 들어 어떤 모양을 형성하는 힘이 식물의 잎이나 꽃 속에 있는데, 이 힘이 고유한 모양을 가진 동물의 정해진 기관과 결합합니다. 이렇게 결합한 것을 우주의 힘이 땅속 깊이까지 발휘되는 겨울 동안 땅속에 묻어둡니다. 이렇게 특별한 힘의 조직들이 우주의 힘과 합쳐지면 이 결합체는 우주의 힘이 집약된 물체가 됩니다. 그 후에 이 재료는 생명력으로 채워진 퇴비나 물에 섞어서, 식물과 땅에 뿌려집니다. 그러면 식물과 땅이 섬세해지고 스스로 우주의 힘을 받아들이는 능력이 향상되어 주변에도 영향을 전달할 수 있게 됩니다.

루돌프 슈타이너는 생명력이 없는 광물을 물에 그냥 녹여서 퇴비로 사용하는 오늘날 일반적인 관행 농업에 비해 이러한 처리 과정은 항상 살아 있는 과정으로 특별한 가치가 있음을 강조했습니다.

오늘날 농업 분야에서 일궈 낸 개혁들이 특허나 특허권을 통해 돈을 많이 벌고 있지만, 이 증폭제는 특허나 상표권에 돈을 지불하지 않고 누구나 자신의 농장에서 만들어 사용할 수 있습니다. 생명역동농법 증폭제는 루돌프 슈타이너가 인류에게 준 선물입니다.

소똥 증폭제(거름)

거름은 생명역동농법에서 아주 특별한 위치를 차지합니다. 학교에서 배운 바로는, 일반적으로 식물은 영양이 필요합니다. 그래서 관행 농업에서는 구입한 자루에서 비료를 꺼내 작물에 주어야 한다고 합니다. 루돌프 슈타이너는 이와는 전혀 다른 관점에서 거름을 주는 관계를 파악하였습니다. 본질은 살아 있는 땅을 가꾸는 일입니다. '거름을 주는 것은 땅을 살아 있게 하기 위함이다.' 이 문장이 농법 강의에서 강조한 기본 골자입니다.

이것은 땅이 식물에게 영양만을 공급하기 위한 공간이라는 일반적인 관념을 완전히 뒤엎는 실천이 필요하다는 것을 의미합니다.

그렇다면 어떻게 땅에 생기를 줄 수 있을까요?

땅의 맨 윗부분 즉 어두운 갈색의 표토는 대개 25cm 깊이까지 층을 이루고 있고 광물 성분이 많이 들어 있습니다. 여기에는 매우 활력 있는 유기체에서 나온 물질들, 예를 들어 뿌리, 식물의 여러 부분들이 함께 섞여 있습니다. 유기 물질 요소들의 어두운 색은 땅의 영향입니다. 이런 유기 물질이 아주 많은 경우 부식질이라 말합니다.

이것은 기본적으로 땅을 비옥하게 하는 것입니다. 땅을 비옥하게 하는 것은 단지 영양소만이 아니라, 수분, 통풍, 부드러운 정도, 온기를 머금는 정도 등을 포함합니다.

땅을 살아 있게 하기 위해서는 땅에서
출발해야 합니다. 마치 예술처럼 올바른 방
법으로 소똥 증폭제를 만들고 올바른 시기
에, 적절한 양을 땅에 주어야 합니다. 생명
역동농법에서 쓰는 여러 가지 방법 가운데
중요한 한 방법은 동물의 똥을 사용해 만
든 소똥 증폭제를 사용하는 것입니다. 가
장 좋은 것은 옛날부터 농가의 황금으로 알
려진 소똥입니다. 소는 되새김질하는 동물
입니다. 땅을 위해서는 이보다 더 좋은 것
이 없습니다. 소똥이 생명역동농법 증폭제
로 만들어진다면, 땅을 살리기 위해서 가
장 최상이라고 할 수 있습니다.

이와 같은 방법으로 땅을 살리면 땅은
식물을 돕고, 식물은 자신의 영양소를 스
스로 찾을 수 있습니다. 생명역동농법 연구

가 에드윈 쉘러Edwin Scheller는 이 과정을 '능동적인 영양 공급'이라고 말했습니다. 스스로 자신의 영양소를 찾는 식물이 살아 있는 땅은 우주에 대해 열려 있으며, 농장의 개별성을 위한 도구가 됩니다.

씨앗 재배와 사육

건강한 농장은 거름과 사료를 자체적으로 만들어 낼 수 있어야 합니다. 이것은 개별화이고 오늘날 온난화 현상에 지혜롭게 대처하는 중요한 활동이기도 합니다. 거름, 사료 외에 또 본질적으로 중요한 것은 씨앗입니다. 150년 전 종묘 회사가 전문적으로 만들어 내기 전까지는 농부가 씨앗을 스스로 만들었습니다. 오늘날 전문화된 씨앗 재배의 장점은 더 빠른 방법으로 재배의 목표를 달성할 수 있다는 것입니다. 그

러나 문제점은 씨앗 시장의 계속되는 상업
성에 있습니다. 국가는 씨앗 재배를 사기업
에 넘겼고 현재도 넘기고 있습니다. 사기업
이 이익을 계속 추구하는 방법은 소비자인
농부를 묶어 두려고 계속해서 새로운 씨앗
을 강구해 내는 것입니다. 한 종류의 씨앗
을 자주 사면 살수록 더 이익이 생기는 것
이 시장의 법칙입니다. 씨앗의 종류가 장점
이 있든 없든, 유전자 기술로 유전자를 조
작해 만든 한 종자만을 특허 받아 등록하
기 때문입니다. 이렇게 씨앗을 한 종류로
단일화하는 것은 스스로 활동하고자 하는
농부들을 계속해서 의존적으로 만들게 합
니다. 생명역동농법 농장은 농장이 있는 그
곳에서, 가장 알맞은, 적응력이 있는, 농장
의 개별성과 함께 성장하는 그 지역의 종자
를 지켜 내려고 노력합니다.

이것은 근본적으로 각 농가의 고유 재배를 생각하게 합니다. 물론 이 일을 해내는 것이 쉬운 일은 아닙니다. 그러나 생명역동농법으로 종자를 재배하는 단체들과 생명역동농법 농가들은 긴밀하게 공동 작업(그 지역에 적합한 종자들을 농부와 원예가들이 수년에 걸쳐 재배)을 하고 있습니다. 이 일을 씨앗 판매 수익으로만 뒷받침하기는 어렵습니다. 그래서 보훔(독일)에 있는 〈농업 미래 후원 재단〉이 이러한 씨앗 재배에 지원을 해 주고 있습니다.

마찬가지로 이런 사항은 동물에도 해당됩니다. 소를 위해서 구체적으로 운영하고 있는 한 단체가 있는데 인터넷 홈페이지 www.biorindviehzucht.ch를 보면 알 수 있습니다. 다른 동물들을 위한 것은 아직 없습니다.

지금까지 생명역동농법의 본질적인 측
면을 짧게 특징지어 보았습니다. 이것으로
일반적인 유기 농법(순환 농법)과 다른 측면을
알 수 있을 것입니다.

땅의 소유권에 대한 새로운 인식

생명역동농법, 특히 농장의 개별화에 대해서는 다음과 같은 결정적인 관점을 이루지 못하면 성공할 수 없습니다.

땅의 소유권이 누구에게 있는가?

루돌프 슈타이너는 땅이 상품 가치에서 자유로워져야 한다는 명제를 세우고 이를 확실히 하고자 했습니다.

'토지 횡령'이란 단어가 생길 정도로 오늘날의 현실은 전 세계적으로 토지에 대한 횡령이 일어나고 있습니다. 왜 루돌프 슈타이너가 토지에 대한 적절한 태도가 중요한

가를 지적했는지 짐작할 수 있습니다. 요약하자면 과거 동유럽이 빠져 있던 집단화 경향의 궤변과는 달리, 땅과 토지가 순수한 의미에서 개인의 소유에서 벗어나야 한다는 것입니다. 빌헬름 에른스트 바크호프 Wilhelm Ernst Barkhoff와 보훔의 GLS 은행의 관계처럼 신탁으로 1960년대에 몇몇 농장은 새로운 시도로 토지와 땅을 공동으로 함께 조합으로 운영했습니다. 그리고 이 농장을 한 농업 공동체가 임대했습니다. 이 농업체의 경험이 아주 특별한 이유는 이 농업체가 점점 다양하게 확장되었기 때문입니다. 세계적으로 농업이 점점 단순화되고 변화가 적을 때, 이 농업체는 점점 다양해졌다는 것입니다! 이것은 놀라운 현상입니다! 근본 원칙은, 땅을 개인이 소유하지 않고, 다른 사람들을 위해 제공될 수 있다는 것입니다. 상속자가 권한을 갖는 것이 아니라, 능력이 있거나 그 상황에 총책임을 지는 사람이 권한을 갖는 것입니다. 이런 원칙은 삶이 다양하게 발전할 가능성을 제공해 주었습니다. 양봉 같은 전형적인 생산의 확장과 농장 환경의 발전은 치즈를 만들거나, 빵을 굽는 활동 등이 가능하도록 해 주었습니다. 판매는 농장의 가게를 통한 직접 판매가 대부분이지만 교육 기관, 유치원, 학교 등도 가능할 수 있도록 해 줍니다. 더 나아가 생명역동농법 연합체와 교육 조직을 이 농장들이 밑받침해 줄 수도 있습니다. 오늘날에는 다양한 사회 조직 형태들이 생겨나는데, 공동으로 운영하는 농장(CSA Community Supported Agriculture 공동체 지원 농업) 또는 시민 증권 단체 등이 있습니다.

생명역동농업의 현황

다양성

루돌프 슈타이너가 직접 얘기하지는 않았지만, 생명역동농법 농장이라면 적합한 12종류의 동물을 키우는 것이 이상적입니다.(어떤 종류인지 한번 생각해 보세요. 답은 뒤에 있습니다)

이와 같은 다양성은 −식물과 동물을 동시에 키우는 것− 모든 생명체가 서로 간에 자극을 주어 성장을 돕는다는 것을 바탕으로 합니다.

전문적으로 바람직한 실천

생명역동농법이 너무 이상주의적이라고 믿는 사람이 있다면 틀리지 않습니다. 그래서 이렇게 민감하고 어느 정도의 사고 능력을 포괄하는 농법을 위해서는 소박하면서 깊은 농업의 경력과 능력이 필요합니다. 경작의 실수를 구입한 비료로 만회하기를 원하지 않는 농부라면, 겨울 동안 동물들을 굶주리지 않게 가장 이상적인 사료 계획을 세우려는 농부라면, 또 증폭제 만들 시간을 따로 챙기고 농장을 완벽하게 꾸리고자 하는 농부라면 농사를 짓는 데 있어 힘찬 모습을 하고 있어야 합니다. 그리고 실제로 그렇게 됩니다. 보통 농업에 관련된 직업과 농업 전공 학생 중에 생명역동농법을 배우는 참가자들이 매우 생기 있고 적극적이라는 평가를 받고 있습니다.

양성 과정

농업은 그저 단순히 하면 될까요? 생명 역동농법은 어떤 면에서 아이를 키우는 것과 그리고 결혼 생활과 비슷합니다. 생명역동농법 역시 그 능력을 배우는 학교가 따로 없고, 이 농법의 능력을 쌓는 일은 오직 직접 해 보면서(그리고 인내하면서) 배울 수밖에 없습니다. 그러나 증폭제를 만들고 다뤄야 하는 일처럼 꼭 배워야 하고, 배울 수 있는 일도 있습니다. 그리고 다른 직업과 병행하면서 연수 과정에 참여할 수도 있습니다. 그러나 어려운 점은, 오늘날 학교에서 배우는 것, 전문 과정에서 대학에 이르기까지 배우는 일반적인 사고의 유형이 물질주의와 다윈주의에 지배되고 있다는 점입니다. 발도르프학교 출신 학생들조차도 피부의 숨구멍을 통해 공기를 받아들이듯이 기존 사회의 것을 그냥 받아들이고 있습니다. 이러한 사고는 생명역동농법의 사고를 종종 방해합니다.

또한 학생들이 거쳐야 하는 직업 학교에서 유기 농업 경작이나 생명역동농법을 하나의 선택 과목으로 설정하여 점심시간 이전이나 이후에 짧은 시간으로 배치하기 때문에 학생들이 제대로 배울 수 없는 상황입니다. 유기 농법이나 생명역동농법은 일반적인 관행 농업 위에 보기 좋게 얹어 놓은 생크림이 아닙니다. 그것은 근본적으로 전혀 다른 일입니다! 사실은 정반대로 생각해야 합니다. 마치 목수가 기계를 사용하기 전에 우선 수동 대패 사용법과 손으로 하는 톱질을 배우는 것처럼, 모든 농부가 우선 유기 농법이나 생명역동농법을 배워야 하는데, 그 이유는 농업 자체가 꾸밈이 없고 자연 그대로의 수작업을 요구하기 때문입니다.

30여 년 전부터 기본적으로 독일어를 쓰는 지역에서 4년 과정으로 한 농장에서 생활과 일을 병행하면서 생명역동농법을 배우는 과정이 생겼습니다. 맨 먼저 스위스에서 시작해 그 후에 북독일, 남부 독일의 보덴제, 그리고 중부 독일, 동독으로 퍼진 자유 생명역동농법 교육 과정입니다. 유럽의 네덜란드, 스웨덴, 프랑스, 영국과 오스트리아에서도 생명역동농법과 유사한 형태와 내용의 교육 과정이 있는데, 그 지역의 전통적인 농법을 받아들이고, 더 나아가 일반적인 학교 교육 과정처럼 이루어지고 있습니다. 도텐펠더호프(독일)에는 1년 연수 과정이 있는데, 카셀-비첸하우젠 대학의 협력 기관으로 대학생들에게 생명역동 농법을 가르치고 있습니다.

확장

슈타이너의 농법 강의는 '농업의 번성을 위한 정신과학적 토대'라는 제목을 달고 있습니다. 강의의 목표는 전문적인 농업 영역의 발전이 아니라, 일반적인 농업에 영감을 주는 것이었습니다. 그럼에도 루돌프 슈타이너 박사가 서거한 2년 후인 1927년에 역사적으로 특정한 형태의 농업을 발전시킨 그의 농법을 〈생명역동농법〉이라고 명명하게 되었습니다. 생명Bio은 폭넓게 일치됨을, 역동Dynamic은 작용하는 힘을 의미합니다.

시간이 흐르고 생산물들이 시장에 나오기 시작했습니다. 생산물에는 상품 표시

가 필요했고, 당시 농부들은 그 이름으로
'데메터Demeter(고대 그리스의 땅의 여신, 비옥함/
풍요로움을 뜻함)'로 뜻을 모았습니다. 2010년
경 세계 여러 곳에서 4,263개의 생명역동
농법 농장이 12만 9천2백8ha의 농지에서
일하고 있고, 그중 41개국이 데메터 운영의
국제 인증 기준에 의해 참여하고 있습니다.
더 나아가 431개 가공소가 있고, 160명의
상품 유통 경영자가 활동하고 있습니다. 인
도나 탄자니아에는 생명역동농법을 하면서
도 데메터 국제 인증 검사 신청을 하지 않
고 운영되는 농업체나 작은 소농가가 수없
이 많은데, 국제적인 명단에 등록되어 있지
않아 자세한 숫자는 알 수 없지만, 수천 개
가 넘을 거라 짐작합니다. 오늘날에는 3천
종류가 넘는 데메터 농산물이 시장에 나오
고 있고, 매출은 대략 1년에 3억 5천만 유

로가 됩니다.(1유로를 1,500원으로 환산하면, 5천2백 5십억 원)

연구 상황

이와 같은 자립적인 농업 형태를 어떻게 건립하고 발전시킬 수 있을까? 이 농업 형태는 정신세계를 볼 수 있는 영안을 가진 루돌프 슈타이너가 창시했기 때문에, 발전을 위해서는 그런 근원과 연결할 수 있어야 합니다. 슈타이너는 이른바 '자기 교육의 길 (수행의 길)'을 제시하고 발전시켰는데, 이 길을 통해 정신세계를 바라볼 수 있는 능력을 키워야 한다고 했습니다. 건강한 인간 이성으로 그의 정신세계에 대한 연구 결과를 이해하고, 이 연구 결과들이 실제 삶 속에서 값어치 있게 증명되기를 바랐습니다. 특히 사람은 자연과 자연 안에서 연습할 수 있다고 했습니다. 1년의 리듬을 잘 따라 식물의 변형과 동물의 발전을 연구하면, 시야가 넓어지고 사고는 이런 과정에서 점점 생동감 있게 됩니다.

농업 현장에서는 일상의 체험 속에서 농법 강의의 내용을 실천하고, 활용과 성찰을 통해 시험할 수 있습니다. 그러나 이것들은 기존의 연구에서나 객관화된 과학의 관점에서 볼 때 역시 어려운 점이 있습니다. 왜냐하면 이 모든 것이 위에서 말한 것처럼 계절의 흐름이나 식물, 동물을 관찰하는 것에 직접 스며들 수 있어야 하기 때문입니다. 생명역동농법은 오랜 세월이 지나면서, 그것에 알맞은 상호 연관성이 있는 것들을 같이 고려해, 종합적이고 총괄적인 연구 방법들로 어느 정도의 기준과 원칙을 갖게 되었고, 이것은 전체 농업 연구에서 일정한 위치를 갖게 되었습니다.

여타의 다른 농업 연구가 대상으로 하는 농장에 대한 실험 연구와는 달리 생명역동농법 연구는 직접 농장에 참여하여 농장들이 가진 특징과 조건을 구체적으로 관찰하고 고려하면서, 농장 안에서 연구 과정을 진행합니다.

평가

일반적으로 생명역동농법을 유기 농법 더하기 증폭제라고 합니다. 지금까지 말씀드린 것에 의하면 이것은 맞지 않습니다. 맞는다 하더라도 정확한 것은 아닙니다. 유기 농법은 자연의 순환계 안에서 그 현상을 따라가는 것이라면, 생명역동농법은 사람의 형상에서 출발합니다. 또한 단어의 뜻 그대로 〈인지학(인간에 대한 지혜)〉의 의미로서 농업을 이해합니다. 유기체로서의 농업이란 측면에서는 유기농과 서로 같이 이해할 수 있습니다. 생명역동농법은 '개별성에 대한 사고'의 측면에서 더 근원적입니다. 따라서 유기 농법을 반대하는 입장도 아니고 또 인위적으로 구분하지도 않습니다. 당연히 그 이름에서 말하듯이 생명역동농법도 유기적인 농업입니다. 그러나 생명역동농법의 특성은 의식적으로 정체성과 일치하도록 자신을 가꾼다는 점입니다. 유기 농법과 맥락을 같이하는 생명역동농법의 활발한 움직임 중 하나가 의식을 가지고 식물의 고유한 특성을 강화하는 종자를 채종하여 미래의 모든 사람에게 기여하는 것입니다.

반향

종종 '생명역동농법'은 '유기농에 증폭제를 더한 것'이라 말합니다. 앞의 글들을 통해 이런 표현이 맞지 않다는 것을 알 수 있습니다. 혹은 맞는다 해도 완전히 옳은 것은 아닙니다. 유기농이 자연의 순환적인 사고에 귀를 기울이고, 자연을 모방하고 가꾸고 또 예를 들어 거름에 대해 '지렁이를 키운다'라는 상을 갖고 있다면, 생명역동농업은 철저히 인간으로부터 시작합니다. 그리고 '인간에 대한 지혜'라는 단어에 대해 신뢰를 갖는 한에서 농업을 이해할 수 있습니다. 유기농에서 '유기체로서의 농업'을 이해할 수 있을까? 개별화에 대한 사고는 원천적으로 '생명역동농법'에서 시작되었습니다. 이것은 절대로 유기농에 대해 반론을 제시하거나 인위적인 한계를 긋는 것이 아닙니다. 당연히 생명역동농업은 그 이름이 말하다시피 유기농이기도 합니다. 그러나 생명역동농법의 강한 정체성은 의식적으로 그 자체와의 일치를 가꾸는 것입니다. 또한 유기농에 대한 관심은 생명역동농업 운동과 강하게 연결되고, 이를 통해 씨앗을 보존하는 활동처럼 특별한 혁신을 가져오고 모두에게 유익한 일이 됩니다. 이것은 미래를 위해 계속적으로 성장해 나갈 것입니다.

비판

생명역동농법에 대한 비판은 항상 있었습니다. 먼저 1933년에 튜링엔 퇴비 산업이 데메터 곡식 유통에 대하여 금지 조치를 내렸습니다. 1941년에는 조직적인 생명역동 경제 방법이 인지학이 배경이라는 이유로 나치주의자들에게 금지 당했습니다. 전설적인 이야기는 60~70년대 생명역동농법 실천가들을 시골에서 미친 사람으로 낙인찍은 일입니다. 제가 보건대 이 비판은 정신성과의 연결을 적극적으로 시도하는 생명역동농법의 실천을 왜곡해 그 시대를 지배하는 주류들이 자신들을 지키기 위한 선동으로 번져 나갔다고 판단됩니다.

정치적으로 보면, 80년대에 이르러 유기농법을 위한 EU 규정을 세우면서 생명역동농법 실천가들이 눈에 띄게 인정을 받게 되었습니다. 기존 사회의 비판도 많이 사라졌습니다. 아직도 종종 공식적인 지원금이 화두가 되면 보수적인 언론이 앞장서서 생명역동농법 실천가들을 인지학의 배경을 가졌다고 비방을 하곤 합니다. 오늘날까지도 기득권을 가진 과학적 농업은 아주 예민하게 반응합니다. 생명역동농법으로 이루어

낸 명료한 현상들, 또 지속해서 보여 주는 좋지 않은 결과들을 멈추게 할 수 없는 자연 과학은 자연 과학적으로 증명이 되지 않는 것을 '있을 수 없는 일이다'며 받아들이지 못합니다. 증폭제를 효과에 대한 원리의 배경을 발견하지 못하는 이유만으로 받아들일 수 없다는 것입니다. 언론은 이 긴장감을 감지하고 있다가 때에 따라 이 긴장감을 놓았다가 잡았다 합니다. 삶에서 비판가를 만나는 것은 매우 좋은 일입니다. 그러나 그 비판가는 적어도 훌륭해야 합니다.

꼭 알아야 할 것: 동물의 뿔

생명역동농법에서 뿔은 아주 중요한 역할을 합니다. 데메터는 유일하게 소의 뿔을 제거하는 것을 기본적으로 반대하는 단체입니다. 그 이유는 두 가지입니다. 첫 번째는 루돌프 슈타이너 박사가 언급했듯이 뿔은 소화 기관이 강조되는 동물들에게 아주 중요한 의미를 가집니다. 되새김질을 하는 거의 모든 동물들(양, 염소, 노루, 사슴, 영양)의 뿔은 이마의 연속으로 자랍니다. 그렇기 때문에 뿔을 단순히 뿔이므로 오늘날 간단히 없앨 수 있다고 말하는 다윈주의는 맞다고 할 수 없습니다.

뿔은 동물에 속하는 전체 구성 요소의 하나로서 매우 중요하고, 사용 여부의 근거에 의해 애기될 수 없는 것입니다. 생명역동농법에서는 도축된 암소의 뿔을 증폭제를 위해 사용합니다. 뿔은 종종 안테나로 상징됩니다. 그러나 이것은 그다지 정확한 표현은 아닙니다. 뿔은 두꺼워진 피부라서 에너지가 밖으로 방출되는 것을 막아 줍니다. 그래서 생명역동농법에서 증폭제를 위해, 우주의 힘을 모으는 데 사용합니다. 가지뿔은 뼈로 이루어졌습니다. 뼈는 광물질로 이루어져 빛의 투과가 어느 정도 가능하다는 의미입니다. 그래서 우리가 안테나에 대해 말하고자 한다면, 소뿔이 아니라 사슴뿔과 같은 가지뿔을 언급하는 게 더 적당할 것입니다.

흔히 하는 질문과 답변

생명역동농법은 잘 실천되고 있는가?

오늘날 생명역동농법을 가장 오랫동안 실천하고 있는 농가는 1928년부터 시작되었습니다.

이러한 농장들은 과학계가 생명역동농법에 대해 지금까지 가지고 있는 학문적인 의심을 해결한 농장이라고 생각합니다. 과학계와 전문 농업인의 의구심에도 이 농장들은 쉽게 굴복하지 않았습니다. 당연히 유기농 농장이 오래가는 것이 생명역동농법의 증거가 될 수는 없습니다. 오늘날까지도 생명역동농법의 특별한 방법, 즉 증폭제를 과학적인 증명으로 받아들이지 않는다는 측면에서 그 반론은 맞을지도 모릅니다.

수년에 걸쳐 생명역동농법 농장들이 일반적인 유기 농법 농장보다 더 다양하게 평가를 받는다는 것은 실질적인 결실이 있고 생명역동농법의 구상이 잘 구현되고 있다는 것을 증명해 주고 있습니다.

모든 생명체가 그렇듯이 자연은 어떻게 바라보는가에 따라 반응합니다. 어떤 사람을 신뢰하지 않으면 어쩌면 그 사람은 아무것도 신뢰하지 못한 채 멈추어 서 있는 상태가 될 것입니다. 반면 우리가 믿고 다가가면, 그 사람은 자신의 과제를 성장시키고 더 발전해 나갈 것입니다. 자연과 농사도 마찬가지입니다. 만약 우리가 어떤 방향으로 성장할지의 경향에 대한 가능성으로 바라보면 자연과 농사는 한 단계 더 앞으로 나아가며 반응합니다. 당연히 이것은 처방책이 아니며, 얼마나 집중하여 바라는 의지가 있는가의 문제입니다. 이것은 기본적인 태도로서 잠재적으로 자연에 영향을 미칠 수 있다고 저는 확신합니다. 이러한 반응은 위와 같은 방법으로 유기체와 대화하는 것으로, 쉽게 과학적으로 측정할 수 없습니다. 또한 그것의 결과로서 결과에 대한 원인을 찾을 수 없을 뿐만 아니라 역학적으로 근거를 찾으려고 하면 가능하지 않습니다. 여기서 말한 가능성에 대한 예증으로 영국 신문 〈가디언〉에 실린 기사를 제시하고 싶습니다. 이 기사의 마지막에 생명역동농법을 과학적인 시험대에 올린 기자의 결론은 과학적으로 증명할 수 없다는 것이었습니다. 그러나 기사에는 다음과 같은 내용도 같이 실려 있습니다. "생명역동농법의 농부들이 농장에 대해 느끼는 감정은 간단히 말해 바로 열정입니다. 생명역동농법 농장은 머물기에 아주 상쾌한 곳입니다. 나무와 꽃이 있고, 개와 새끼 돼지가 여기저기 다니는 곳으로, 일반 관행 농법으로 운영하는 농장과는 많이 다른 냄새가 납니다. 생명역동농법의 퇴비는 자연의 향긋한 내음이 납니다." 무엇이 더 중요할까요? 과학적인 증명인가요, 아니면 위와 같이 있는 그대로일까요?

요약해 보면 다음과 같이 말할 수 있습니다.

생명역동농법의 가능성은 과학적으로 증명할 수 없더라도 이 농법이 추구하는 것의 결과물이 그 자체로 말해 줍니다. 동시에 내용적으로는 실제로 실천하고 있는 생명역동농법이, 오늘날 자연 과학이 제공하는 방법과 다른 범주로 형성된다는 것이 자연 과학계에 하나의 도전이 되고 있습니다. 자연 과학계는 과학적인 증명을 통해서만 믿거나 받아들이기 때문입니다.

생명역동농법으로
세계의 식량 문제를 해결할 수 있는가?

가능합니다.(유기농으로도 가능합니다) 세계의 인구가 90억을 넘어선다 하더라도 가능합니다. 물론 현재보다 서양에서 육식 섭취가 줄어야 한다는 전제가 필요합니다. 어차피 생명역동농법으로는 산더미같이 많은 고기를 생산하지 않습니다.

누구나 생명역동농업이 가능한가?

예를 들어 생명역동농업을 위해서 인지학자가 되어야 하는가?

당연히 누구나 원하기만 한다면 생명역동농법을 할 수 있습니다. 농법 강의를 누구나 접할 수 있기 때문입니다. 데메터의 엄격한 기준을 지키는 모든 사람은 데메터 농업을 할 수 있습니다. 그러나 이것을 위해서는 공식적인 데메터 조직과 계약이 필요하며 공식적인 중앙 관리 조직의 관리와 규정을 따라야 합니다.

생명역동농업을 위해 좁은 의미로 보면 꼭 인지학자가 되어야 하는 것은 아닙니다. 생명역동농법을 실천하는 사람 중에 대략 5%가 인지학 협회의 회원입니다. 이는 괴테아눔 같은 조직에 가입되어 있다는 것을 의

미할 뿐입니다. 물론 인지학의 기본과 배경에 대해 모르거나 관심이 없으면, 생명역동 농법의 정신적 씨앗을 잃어버릴 것입니다.

인지학은 일반성과 동시에 특별한 점을 갖고 있습니다. 일반적이라는 것은 정신세계를 이해하는 데 있어 과학적인 측면이 있다는 것이고, 정신과학은 오늘날의 시대정신에 대해 깨어 있어야 한다는 것 외에 다른 전제 조건을 갖지 않습니다. 이렇게 본다면 누구나 이 길을 갈 수 있습니다.

그러나 인지학은 뭔가 특별함이 있습니다. 인지학은 특별한 한 사람, 루돌프 슈타이너에 의해 세상에 알려졌습니다. 슈타이너는 자신의 특별한 방법과 방식으로 사물을 바라보았습니다. 그것을 언어의 형태로, 직접 그린 그림의 형태로, 스스로 만든 조

각 예술의 형태로, 동작 예술인 오이리트미로, 유기체적인 건축 등으로 제시하였습니다. 많은 사람이 그 방식을 잘 받아들이고, 내적으로 연결될 수 있지만, 어떤 사람들은 그렇지 못합니다. 그런 점에서 본다면 추측하건대 모든 사람이 인지학을 받아들이는 것은 아니고, 모든 사람을 위한 것도 아니라고 보입니다. 즉 모든 사람이 인지학자가 되는 것은 아닙니다.

생명역동농업을 하는 사람들도 모두 인지학자가 되어야만 하는 것은 아닙니다. 그러나 인지학을 내면에서 거부하면 생명역동농업은 가능하지 않을 뿐만 아니라 실행해서도 안 됩니다. 겉으로만 따라 하게 되면 결국 그 효과가 나타나지 않습니다. 또 생명역동농법 운동은 모든 사람을 행복하게 해 준다는 것도 보장하지 않습니다. 물론 간단한 일은 아니지만, 전체 농업에 있어서 생명역동농법은 마치 케이크를 만들 때 넣는 소량의 효모와 같습니다.

생명역동농업으로 전환하는 계기는?

생명역동농법을 실천하는 많은 농부를 바라보면, 그들이 과거에 얼마나 심각한 삶의 한계에 부딪혔는지를 알 수 있습니다. 대부분의 경우는 크게 아팠거나 아니면 큰 질문을 받게 되는 어떤 운명적인 일이 가족에게 일어난 경우입니다. '정말 내가 인생에서 이루고자 하는 것이 무엇일까? 무엇을 해야 그것이 가능할까? 본질적인 것은 무엇일까?' 이런 삶의 상황에서 이루어진 생명역동농법과의 만남은 보통 삶에 강한 인상을 줍니다. 그리고 이것은 생명역동농법의 기본적인 상과 일치합니다. 우주의 기운이

혼돈의 순간에 가장 잘 땅으로 내려올 수
있듯이 우리 자신도 위기의 순간에서야 깨
어날 수 있고, 마치 고속도로에서 거의 자
동으로 운전만 하는 순간에서 벗어나야 하
는 것처럼, 결국 우리의 삶의 동기도 깨어
서 찾아내야 하는 것입니다.

생명역동농업은 경제성이 있는가?

그렇습니다. 생명역동농법을 실천하는
모든 농장이 그 증거입니다. 수익성이 없다
면 모두 문을 닫았을 것입니다. 뿐만 아니
라 소득에 관한 정확한 통계에 따르면 다른
유기 농법을 실천하는 농장처럼 생명역동
농장이 여러 해에 걸쳐 선두를 점하는 것
으로 드러납니다.

생명역동농법은 관행 농업과 비교해 다
양한 일이 많이 필요합니다. 만약 노동 임

금을 지출로 본다면, 관행 농업보다 지출이 더 많을 것으로 생각합니다. 그러나 농장 경영 자재비(비료, 농약) 지출은 매우 적습니다. 생명역동농업의 생산품의 가격은 일반적으로 다른 생산품보다 높습니다. 이 때문에 수익성이 낮은 생산품은 서로 조절이 되어 보상됩니다.

가게에서 몇몇 데메터 상품이 월등히 비싼 것은 복잡한 생산 과정이 원인일 수 있습니다. 예를 들어 아주 멀리 떨어져 있는 농장들에서 우유를 모아 유통해야 하는 경우, 분유 가격은 높아질 수밖에 없습니다.

기본적으로 전체 농업의 생산물 가격이 너무 낮아져서 전체 사회 안에서 농업에 종사하는 사람들의 일이 충분히 가치를 인정받지 못하도록 기만해서는 안 됩니다. 생활용품 가격이 저렴할 수 있는 것은 전 세계 시장이 판매 대상이거나, 기후적으로 적당한 곳이거나, 임금이 적은 곳에서 생산할 수 있기 때문입니다. 그리고 일반 농업의 생산품이 저렴한 이유는 많은 환경 비용을 사회 또는 다른 장소에 넘기기 때문입니다.(예를 들어 하천 정화)

저는 모든 점에서 칼 트레스Karl Treß의 주장을 옹호합니다. 그에 의하면 견실한 생명역동농법이 기업 경제와 사회 경제를 위해서 가장 유효한 농법입니다.

지금까지 생명역동농법을 몇 가지 측면에서 살펴보았습니다. 이제 저는 다른 측면을 시도해 보고자 합니다. 다른 것은 잠깐 뒤로 하고 우선 다음의 것들을 생각해 봅시다. 인생은 무엇인가? 무엇이 전부인가? 작물의 다양성이 적어지는 시대, 기후 변화, 중요한 생산 자원인 기름과 물, 이 모든 것이 상당히 우울한 주제입니다. 전쟁 이후 생명역동 농업을 추구하는 많은 사람이 이 농업을 더 나은 것 또는 더 건강한 생산물을 가져오기 때문만이 아니라, 지구의 발전을 위해 함께 협동한다는 목적으로 선택했습니다.

교사들이 자신 앞에 앉아 있는 학생과 그 학생의 성장을 진지하게 받아들이는 것이 보람이듯이, 의사가 환자의 생명을 위해 모든 것을 다 시도하는 것이 유효하듯이, 농부는 자연과 환경에 큰 피해를 끼치고 있는 농업에 대해 새로운 마음가짐으로 자연과 환경을 보호하고 지켜야 합니다. 이러한 것은 매우 의미 있는 일입니다. 생명역동농법은 자연을 치유할 수 있는 하나의 가능성을 보여 주고 있습니다. 이 점이 제가 생명역동농법에 감동하고 마음 깊이 따르는 이유입니다. 농업은 문화입니다.

....
*생명역동농법 농장에 권하는 12가지 동물_
　소, 말, 돼지, 양, 염소, 비둘기, 닭, 거위,
　잉어, 고양이, 개, 오리

카리 예르빈넨Kari Järvinnen과 이 책의 내용에 소중한 조언을 해 주신 핀란드 생명역동농법 연합에 감사드립니다. 그리고 실제의 예를 주신 U. P. 에게도 감사 인사드립니다.

참고 문헌

●○ Bockemuhl, Jochen

『생명역동농법 증폭제 식물들의 흔적을 찾아서— 생
명 기관들이 경작을 만든다

Auf den Spuren der biologisch-dynamischen

Praparatepflanzen— Lebensorgane bilden fuer die

Kulturlandschaft』

（Verlag am Goetheanum, Dornach, 2005）

●○ Fuchs, Nikolai

『생명역동농법의 연구는 어디까지 와 있나? 연구 토론집

Wie weiter mit der biologisch-dynamischen

Forschung? Ein Diskussionsbeitrag』

（Verlag am Goetheanum, Dornach, 2010）

●○ Held, Wolfgang 2012

『별자리 달력 2013/2014년

Sternenkalender 2013/2014』

매해 발행

●○ **Hurter, Markus**

『생명역동농법의 심화를 위한 입문

Zur Vertiefung der biologisch-dynamischen Land

wirtschaft』

(Verlag am Goetheanum, Dornach, 2007)

●○ **Koepf, Herbert**

『생명역동농법 입문

Biologisch-dynamische Landwirtschaft: eine

Einfuehrung』

(Verlag Ulmer, stuttgart, 1996)

●○ **Koepf, Herbert**

『21세기 생명역동농법

Die biologisch-dynamische Wirtschaftsweise im 21.

Jahrhundert』

(Verlag am Goetheanum, Dornach, 2001)

●○ Koepf, Herbert

『생명역동농법 경작이란 무엇인가?

Was ist biologische-dynamischer Landbau?』

(Philosophisch-Anthroposophischer Verlag am

Goetheanum, Dornach, 1985)

●○ Mahlich, Stefan

『슈타이너 농법 강의 ─ 이런 영감을 원천으로 나는

어떻게 살고 있는가?

Der Landwirtschaftliche Kurs ─ Wie lebe ich mit dieser

Insparationsquelle? Landwirtschaftliche』

(Tagung am Goetheanum, 2009)

●○ Olbrich-Majer, Michael, und Forschungsring

『대화로 알아보는 생명역동농업

Biologisch-Dynamisch im Dialog』

(Verlag Lebendige Erde, Darmstdt, 2008)

●○ **Sattler, Friedrich**

『유기농으로 전환하기

Umstellen auf den Okolandbau』

(Verlag Ulmer, Stuttgart, 2004)

●○ **Sattler, Friedrich**

『생명역동농법 농가의 경영

Der landwirtschaftliche Betrieb-biologisch-dynamisch』

(Verlag Ulmer, Stuttgart, 1985)

●○ **Schaumann, Wolfgang**

『농업인을 위한 루돌프 슈타이너의 강의 입문서

Rudolf Steiners Kurs fur Landwirte- Eine infuhrung』

(Deukalion Verlag, Holm, 1996)

●○ **Schilthuis, Willy**

『생명역동농업

Biodynamic Agriculture』

(Floris Books, Ziest, 1994)

●○ **Spranger, Jorg**

『인지학의 수의학 교재

Lehrbuch der anthroposophischen Tiermedizin』

(Sonntag Verlag, Stuttgart, 2007)

●○ **Steiner, Rudolf**

『농업의 번성을 위한 정신과학적 토대

Geisteswissenschaftliche Grundlagen zum Gedeihen

der Landwirstchaft』 (GA 327)

(Rudolf Steiner Verlag, Dornach, 1975 /

『자연과 사람을 되살리는 길』 평화나무 출판사, 2002)

●○ **Treß, Karl**

『생명역동농법과 함께한 나의 인생

Mein Leben mit der biologisch-dynamischen

Landwirtschaft』

(Wiedemann Verlag, Munsingen, 2007)

●○ **Wistinghausen, Christian**

『생명역동농법 증폭제 만드는 방법

Anleitung Zur Herstellung der biologisch-dynamischen

Praparate』

(Forschungsring, Darmstadt, 2007)

●○ **Wistinghausen, Christian**

생명역동농법 증폭제 사용 안내

Anleitung zur Anwendung der biologisch-dynamischen

Feldspritz-und Dungepraparate』

(Forschungsring, Darmstadt, 2007)

관련 정보(기관 이름과 연락처)

●○ 괴테아눔 농업 분과

Sektion für Landwirtschaft am Goetheanum

Hügelweg 59 CH-4143 Dornach, Switzerland

www.sektion-landwirtschaft.org

●○ 데메터 법인Demeter e.V (바이오다이나믹 연맹)

Brandschneise 1 64295 Darmstadt, Germany

법인_www.demeter.de

연맹_www.demeter.net

●○ 생명역동농업 실천연구회

경기도 포천시 관인면 창동로 1071번길 57 평화나무농장

이메일: peacefarm@daum.net

blog.naver.com/whd0123123

푸른씨앗 책

꿀벌과 인간

루돌프 슈타이너 강의 최혜경 옮김

233쪽 20,000원

발도르프 교육 100주년 기념 출간. 괴테아눔 건축 노동자를 위한 강의 중 '꿀벌' 주제에 관한 강의 9편 모음. 꿀벌 같은 곤충과 인간과 세계의 연관성을 설명하고, 이 연관성을 간과하고 양봉과 농업이 수익성만 중시한다면 미래에 어떤 일이 일어날 수 있는지 경고한다.(GA351)

내 삶의 발자취

루돌프 슈타이너 지음 최혜경 옮김

760쪽 35,000원
양장본

루돌프 슈타이너가 직접 어린 시절부터 1907년까지 인생 노정을 돌아본 글. <인지학 협회>가 급속도로 성장하자 기이한 소문이 돌기 시작하고 상황을 염려스럽게 본 측근들의 요구에 따라 주간지에 자서전 형식으로 78회에 걸쳐 연재하였다. 인지학적 정신과학의 연구 방법이 어떻게 생겨나 완성되어 가는지 과정을 파악하는 데 중요한 자료이다.(GA28)

7~14세를 위한 교육 예술

루돌프 슈타이너 강의 최혜경 옮김

루돌프 슈타이너 생애 마지막 교육 강의록이다.
슈타이너는 최초의 발도르프학교 설립자로서
학교 전반을 조망한 경험을 바탕으로, 7~14세
아이의 극적 변화에 맞춘 혁신적 수업 방법을
생생한 예시를 통해 제시하고, 다양한 방법으로
교육 예술의 개념을 발전시킨다. 전 세계 발도르프
교사들의 필독서로 사랑 받고 있는 발도르프
교육에 대한 최고의 소개서이다.(GA311)

280쪽 20,000원

인생의 씨실과 날실

베티 스텔리 지음 하주현 옮김

너의 참모습이 아닌 다른 존재가 되려고 애쓰지
마라. 한 인간의 개성을 구성하는 요소인 4가지
기질, 영혼 특성, 영혼 원형을 이해하고 인생
주기에서 나만의 문명으로 직조하는 방법을
모색해 본다. 미국 발도르프 교육 기관에서 30년
넘게 아이들을 만나온 저자의 베스트셀러. "타고난
재능과 과제, 삶을 대하는 태도, 세상을 바라보는
눈은 우리도 깨닫지 못하는 사이에 인생에서
씨실과 날실이 되어 독특한 문양을 만들어
낸다."_책 속에서

336쪽 25,000원

백신과 자가 면역

토마스 코완 지음 김윤근, 이동민 옮김

240쪽 15,000원

건강을 위해 접종하는 백신이 오히려 만성적인 자가 면역 질환을 유발할 수 있다면? 많은 경우에 큰 문제를 일으키지 않고 주로 급성이었던 아동기 질환이, 백신이 개입하면서 평생 안고 살아가야 하는 만성적인 자가 면역 질환으로 그 성격이 변하고 있다. 토마스 코완 박사는 이러한 백신과 자가 면역, 그리고 아동기 질환의 연관성에 대해 수십 년에 걸쳐 연구한 내용을 정리하고 코완식 자가 면역 치료법을 소개한다.

생명역동농법이란 무엇인가?

니콜라이 푹스 지음 \ 장은심 옮김 \ 장구지 감수

1판 1쇄 발행 2015년 1월 14일
1판 2쇄 발행 2022년 10월 20일

펴낸곳 사)발도르프 청소년 네트워크 도서출판 푸른씨앗

편집 백미경, 최수진, 김기원 번역기획 하주현
디자인 유영란, 문서영 마케팅 남승희, 안빛, 이연정

등록번호 제 25100-2004-000002호
등록일자 2004.11.26.(변경신고일자 2011.9.1.)
주소 경기도 의왕시 청계로 189-6 전화 031-421-1726
페이스북 greenseedbook 카카오톡 @도서출판푸른씨앗
전자우편 greenseed@hotmail.co.kr

greenseed.kr www.greenseed.kr

값 9,000 원
ISBN 979-11-86202-50-0 (04120)
ISBN 979-11-86202-15-9

재생 종이로 만든 책

이 책은 재생 종이에 콩기름 잉크로 인쇄했습니다.

겉지_ 두성종이 마분지 209g/m² 크림색
속지_ 전주페이퍼 Green-Light 100g/m²
인쇄_ (주) 도담프린팅 | 031-945-8894
본문 글꼴_ 윤서체 **책크기_** 105*148